玛雅帕帕亚的小烦恼

小鸟与黄树叶

[西]安吉勒斯·贡萨雷斯·辛迪/著
[西]劳拉·卡兰博格/绘
姚贝/译

朝華出版社
BLOSSOM PRESS

今天，爷爷奶奶来探望玛雅帕帕亚。

开饭前，玛雅帕帕亚发现花园里金合欢树下有一只非常安静的小鸟。

她跑去告诉妈妈。妈妈正在调制黄油酱，用来凉拌爷爷奶奶带来的芦笋。

妈妈稍微愣了一下，就陪着玛雅帕帕亚去看那只小鸟。

玛雅帕帕亚很担心。

那只小鸟一动也不动，一定是从上面的树枝上掉下来的。它还不会飞，它的妈妈也没有来找它。

妈妈对玛雅帕帕亚说，小鸟已经死了，需要找一个漂亮的地方埋葬它。但是玛雅帕帕亚不想这么做，她甚至不愿意听到要把小鸟埋到土里的话。

于是，妈妈去找玛雅帕帕亚的爸爸。但是爸爸已经骑自行车出门运动去了。谁知道他会在哪里呢？加油蹬吧，爸爸。

妈妈于是又打电话给玛雅帕帕亚的舅舅。舅舅非常聪明，他一定知道该怎样处理死去的小鸟。可是，舅舅正在修理一个漏水的水龙头，他没有时间。

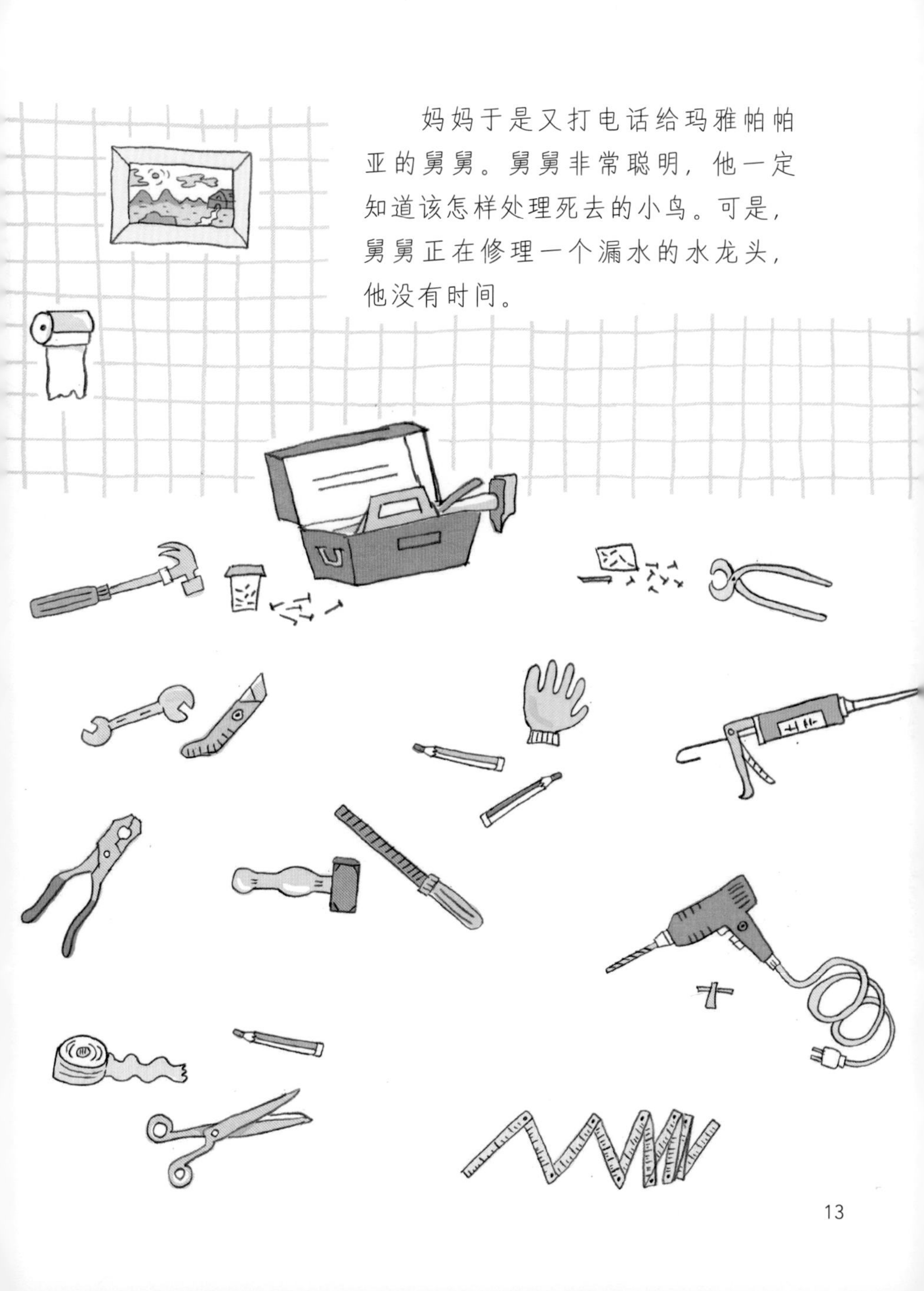

妈妈回到了厨房，她该做的事情实在太多了！
玛雅帕帕亚仍旧很担心。
爷爷看到了，问：“玛雅，你怎么了？”
玛雅帕帕亚就把情况原原本本地讲了一遍。

爷爷想了一会儿，很快做出了决定。

现在正是秋季呀，他牵着玛雅帕帕亚的手，摘了一片漂亮的黄色树叶，然后把它盖在了可怜的小鸟身上，像一床被单。

玛雅帕帕亚安心多了。吃完饭，她又拉着爷爷去看小鸟。爷爷用铁锹在金合欢树旁的地上挖了一个洞。花园里这棵古老的金合欢树与漂亮的玫瑰花丛挨得很近。花丛中的玫瑰每年只开两朵花儿，却是花园里最大最芬芳的花儿。

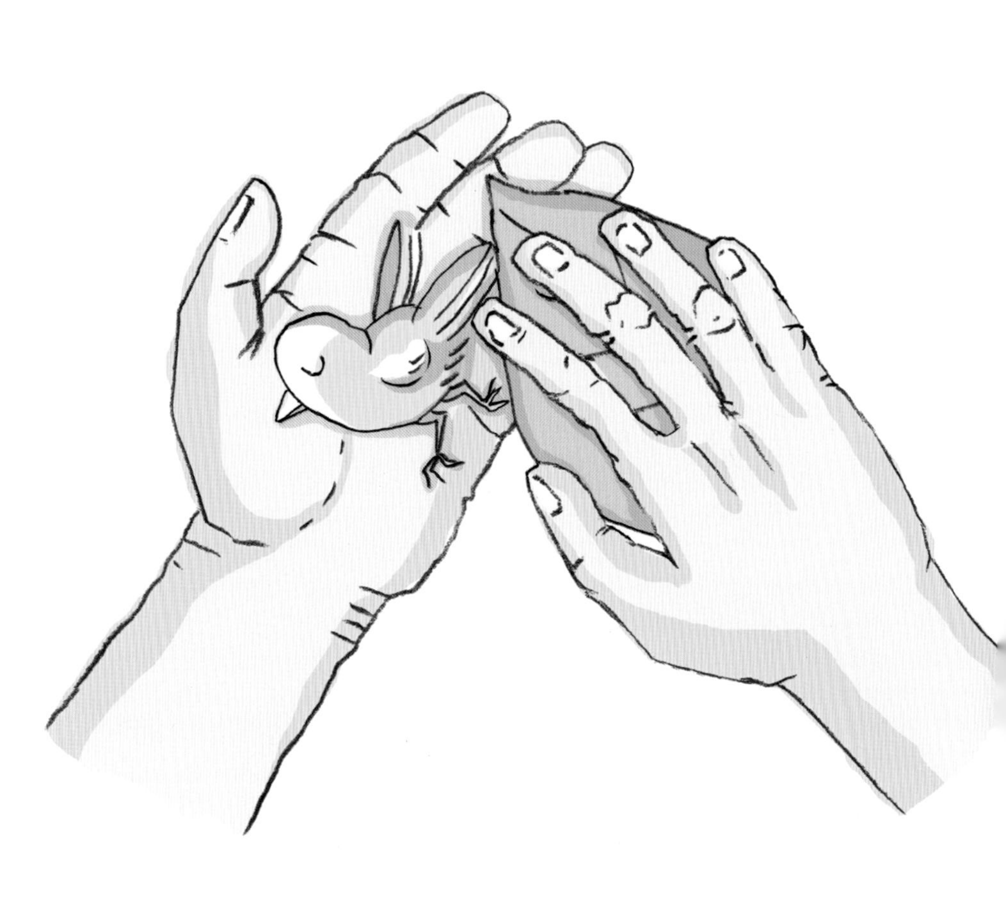

然后，爷爷拿起包裹在黄色树叶里的小鸟，轻轻地把它放进了洞里。玛雅帕帕亚不愿意听到用土埋葬小鸟的声音，更不要说看了，她赶紧跑开去找妈妈。

玛雅帕帕亚哭了。妈妈问她是不是很伤心。妈妈说，听到有人死了感到伤心是很自然的，一只小鸟因为发生意外死去也很让人难过。玛雅帕帕亚回答说：“我不是因为它死了而感到难过，我是因为要埋葬它而难过。”

妈妈理解玛雅帕帕亚，她有了一个主意。

“你知道什么是种子吗，玛雅？”妈妈问。

玛雅帕帕亚自认为知道，回答道：“就是很小很小，小到几乎看不到，但又能发芽、长大的东西。”

妈妈说：“那我们去采集香香的玫瑰的种子吧！”

玛雅帕帕亚和妈妈，很小心地从扁球形果实里取出种子，然后播撒下去。妈妈对她说，现在这些种子在地下陪伴着小鸟，等到了冬天，古老的金合欢树会用根保护它们。如果运气好的话，明年或者后年春天，就能开出更多的玫瑰花了。对没有机会再次飞翔的小鸟来说，这里应该是最好的归宿了。